gazpacho agridulce

AndaLuCHINas Por eL MuNDO

ASTIBERRI

Cuando Quan nos comentó que la continuación de su primera obra, *Gazpacho agridulce*, estaba en marcha, fue toda una sorpresa. Más sorprendente fue todavía cuando decidió que este segundo volumen no sería un relato exclusivamente suyo, sino de las tres, de nuestro periplo chino-andaluz por el mundo. Por supuesto, aceptar (e ilusionarnos) fue casi instantáneo y lo que siguieron fueron las semanas de idear, concebir, inventar, crear, planear e imaginar juntas. Pero, sobre todas las cosas, cada vez que hablábamos de este proyecto soñábamos con el momento en el que llegaría a tus manos, querido lector.

Dicen que cada persona es un mundo que percibe las situaciones de forma distinta, ya sea de la misma familia, sangre, edad, cultura o sexo; que capta distintas sensaciones, emociones. En resumen, que cada persona es un universo único y excepcional. Para algunas personas, las diferencias pueden llegar a ser *la gran muralla china* en sus relaciones. En estos casos afecta negativamente; limitan la manera de relacionarse y son utilizadas como una línea divisoria de discriminación: "¿Por qué no eres un poco más china?". O también, desde el otro lado de la acera: "Eso es demasiado chino, en Andalucía las cosas no se hacen así".

Otras se sirven de las diferencias como herramientas que les enseñan cómo conectar mejor como personas. Para nosotras han supuesto una oportunidad magnífica cuyo resultado es este libro que tienes en tus manos, *Andaluchinas por el mundo*.

Andaluchinas por el mundo ha constituido una auténtica peripecia en la que, una vez más, nos hemos vuelto a conocer como hermanas y también como personas totalmente diferentes (¡y parecía que lo sabíamos todo entre nosotras!). Ha sido asombroso intentar describir cómo hemos evolucionado, siendo a la vez tan semejantes (tanto que ni nuestra propia madre reconoce nuestras voces por teléfono) y tan inconfundibles. Trabajar en esta novela gráfica juntas ha sido un desafío fascinante, y si bien el resultado iba dirigido a ti, creemos que nosotras lo habremos disfrutado más todavía. Gracias a este proyecto hemos regresado al pasado, reconectado todos los espacios vacíos y presenciado cómo nuestro árbol de amor y cariño sigue creciendo y floreciendo. Llorábamos cuando una de nosotras sufría, nos alegrábamos al saber que las cosas iban bien, y sobre todo lamentábamos nuestra ausencia cuando no estábamos presentes en aquellos momentos. En otras palabras, es una ocasión especial mostraros esta continuación nuestra: los hermanos Zhou nos adoramos y nos llena de ilusión y esperanza compartir nuestras vidas en estas páginas.

Andaluchinas por el mundo es un viaje hacia el relato de nuestras vidas, de nuestras diferencias y similitudes, de contrastes y armonías, de miradas y sensaciones. Destapamos nuestra infinita complejidad como *andaluchinas*, pero especialmente como personas; complejidad que hemos descubierto tanto juntas como por separado y que hoy es lo que nos define. Nuestras diferencias individuales son las mismas que nos han ayudado a aprender a ser tolerantes, a empatizar e intentar ponernos en la piel de la otra persona, a compartir nuestras vivencias y, en definitiva, a luchar juntas. Esperamos con mucho cariño que las crónicas dibujadas en estas páginas puedan significar para ti, querido lector, lo mismo que para nosotras, y que puedas vivir por unos pocos instantes parte de nuestra travesía chino-andaluza.

Qing y Fu Zhou

A mi padre,
que siempre nos aguantó y nunca se quejó

Para los que no me conozcáis, me presento: me llamo Quan y soy una chinipueblerina. Tengo unos padres muy chinos y muy tradicionales. Tras nervios, ansias y dejar atrás a mi familia, mis amigos, mi pueblo, y sobre todo... el restaurante chino de mis padres, ¡por fin llegaba a la capital! Tenía 18 años.

Lista de cosas que nunca había hecho:

○ Montar en metro (tren, cercanías...)

○ Subir en avión

○ Ponerme "to'ciega" (aunque algún que otro tinto me había tomado)

○ Salir de fiesta (aunque había ido a la feria del pueblo)

○ Tener tarjeta de débito (ya crédito ni te digo) y sacar dinero

○ Cocinar algo que no fueran fideos instantáneos

○ Tener un novio chino (para desgracia de mi madre)

○ y obviamente, vivir sin mi familia...

Y así mil cosas más.
No me juzguéis, ya os dije que era muy
de pueblo...

La familia ZHOU

Callado y trabajador, como todo patriarca chino

Mandona y respondona, como toda matriarca china

Papá ZHOU

Mamá ZHOU

Nosotros somos toda su prole:

YO

Fu

Hermana mayor

Quan

Y sí, esa donde pone "yo", como habréis deducido inteligentemente, soy yo.

Qing

Hermana pequeña

Encheng

El benjamín

MADRID

Idiomas hablados en este capítulo:

Español

Chino

Inglés

Llegué una semana antes del comienzo del curso para adaptarme

Voy a hacer tantísimas cosas

Aún hoy, recuerdo esa sensación en el estómago, como de mariposas o náuseas... La anticipación.

Por fin estaba aquí, por fin mi vida comenzaba.

Una semana después...

¡Anna! ¡El café está ya!

¿Qué tal la primera semana de clase?

Bien, tía, conociéndonos todavía... El profesor flipó con mi acento

Lo que menos esperaba escuchar salir de tu boca es acento andaluz

Mi madre dijo que eras muy graciosa, chiqueta

Es "chica", lo decimos en Alicante

¿Chiqueta?

¡Ooh! Eres la primera alicantina que conozco

¡Deberías venir algún día!

¡Sí! Que no he viajado casi...

A ver si se despierta la otra. Lleva todo el día durmiendo

Dice que es nocturna, y se pasa despierta hasta las 5 a.m.

Pues sus platos no lo son

XD

¿Sabes qué decimos también en Alicante?

¿El qué?

¡Alicantina, borracha y fina!

Jajaja, descripción de esta noche

Anna estudiaba psicología y también bailaba flamenco en el conservatorio. Me sentía super-cosmopolita teniendo una amiga así.

Me sorprendían muchas cosas de ella

Planchaba todo

Era muy nudista...

Escuchaba música sin molestar

En mi casa...

Dobla bien los manteles, así se secan rectos y no hay que planchar

Tengo hambre

Íbamos siempre vestidas

¡ERES TONTA, FU!

¡TONTA TÚ!

¡Callaos ya!

Por alguna extraña razón, cuando llegas a una ciudad nueva (y tienes 18) lo primero que descubres, antes que los museos, antes que la comida típica, es...

La Fiesta

Más pronto que tarde, acabó convirtiéndose en nuestro particular ritual de todos los fines de semana.

Vodka Kakanoff 3 € Porque eres joven e imprudente

(1) Vestirte con tus mejores galas (outfit Breshhka fall 07/08)

Taconazos por encima de tus posibilidades, que si no bebes, no andas

② Botellón en casa

Bebe rápido, que hay que irse

¡Fondo blanco!

¿Eso qué e?

③ El metro, antes de las 1 a.m.

¿Qué dicen las borrachas estas?

¡Chinos de mi pueblo chino, no sabía que en Madrid había!

④ Fingir estar sobrias

Lo que estáis es ciegas

Estamos en lista

⑤ Darlo todo en el baile

Racatá, racatá...

Hi!

⑥ Volver en bus (búho)

¡Arrgh!, nos hemos pasado, Quan

mmm... nuggets de pollo

⑦ Arrasar la nevera Recenar

¡Tía! He perdido (...)

(el móvil, la cartera, la dignidad, etc.)

Y pasar la resaca...

Anna, me muerooo... Que salga la otra y nos haga de comer

Chiqueta, la otra ni friega los platos, nos va a hacer de comer...

Quizás no entendáis mis ganas de fiesta (o sí), pero es que en mi pueblo, mis padres eran...

Las chicas buenas no salen, trabajan en el restaurante

¡¡¡Pero, mamá, es el cumpleaños de Elena y son las 20 p.m.!!!

3:00 a.m.

Shh

¿Qué hacéis?

Nos vamos a la fiesta del pijama de Elena. ¡No te chives!

france

Nos dejaban ir a la feria del pueblo, pero porque pensaban que nos íbamos a los cacharros...

Nosotras, desatadas

Obviamente no, la edad de los cacharros se pasó a los 11

Pero yo no me mudé a la capital a salir de fiesta o buscar novio chino... Vine a estudiar diseño gráfico. Estaba becada en la "muy desconocida universidad privada de diseño" en la que puedes salir con trabajo... o no.

UNIVERSIDAD PRIVADA DE DISEÑO
—TÚ PAGA, Y NOSOTROS YA VEMOS—

UPD

Tenía unos profesores muy modernos

Señora que nos enseñaba tutoriales de Youtube

Profesor de fotografía

Expublicista de éxito

Director misterioso

Las mallas de degradado son mi vida

Fotografié el Amazonas en el amanecer

Te enseño a venderlo todo, todo y todo

Educación de calidad y dinero de más calidad

Y unos compis muy guays

Iba a ser monja, pero me metí a diseño gráfico

Aprendí solo Photoshop y ya que estaba, pues dije: ¡me saco el título!

Yo tengo dinero

Me dio por estudiar a los 40

En mi pueblo nadie se sorprendía conmigo. (Lógico, llevo to'la vida ahí)

Po'ahí nos vemos, Pepa

¡Mañana vamos a tu chino!

Pero en Madrid... (sobre todo cuando llegué, que tenía el acento muy marcado). Madre mía, Madrid era harina de otro costal

Acento andaluz, madre mía. ¡Andaluz! Qué fuerte

HOLA

Quilla, hablo español

Hello

Quillo, hablo español

Ni hao

Quillo, hablo español

¿Hablas chino cantonés?

¿Cómo se dice X@!$%?

¿Es verdad que coméis perro?

¿Has estado en China?

Mi amigo va a China este verano

Siempre me preguntaban lo mismo

Y sobre todo...

¡Qué graciosa! Con acento andaluz. Una vez conocí a un chino que era de Cádiz, ¿le conoces?

No, soy de Málaga

Vivo en el día de la marmota

Joder, qué putos cansinos son los madriles... Pesaos

Ay, que me desvío del tema, esa tarde fuimos de tapas

¡Pintaza!

Rico, ¿eh?

Son como en el sur

Oye, perdona

?

¿eh?

¿Tienes latas de cerveza? ¿Me vendes dos?

¡¿QUE QUÉ?!

¿QUÉ TENGO YO DE NA!? ¡¡¡PUTO RACISTA DE MIERDA!!!

¡¡¡TE VOY A MATARRR!!! ¡¡¡RACISTA!!!

¡¡¡PUTO!!!

Quan, tranquila, que nos echan. Aquí los chinos venden cervezas por la calle

¡Ah!

No lo sabía

Anda, déjalo correr y nos vamos de fiesta

La chini está desatada, ¿eh?

No sé si tengo que separarla o no, ¿se arrepentirá de este?

Aparte de estos pequeños incidentes, molaba ser "la andaluchina" en Madrid.

PLAZA MAYOR

Los bocadillos de calamares, que yo pensaba que no había nada más absurdo que comer pan con pan... pero no.

Entonces, se tocaba el tambor en el Retiro, pero se prohibió... no se sabe por qué, o sí.

EL RETIRO

La Puerta del Sol, que parece imponente por la TV y luego es enana.

PUERTA DEL SOL

LAVAPIÉS

Y si te descuidabas, acababas en la calle Montera... Donde había muchas señoritas de vida alegre, recuerdo que me impactó mucho.

Ese año de novata, me perdí por Lavapiés y casi me eché a llorar. ¡Ese barrio tan oscuro!

Las otras compis eran raras...

LA NOCTURNA

Estoy harta, no compra papel nunca, lo voy a esconder en mi cuarto

Ok

Colhogar!!!

Y ya que no está en casa

Le voy a dejar sus platos en su habitación, a ver si los limpia

Puto asco, llevan una semana en el fregadero

Ok

La CHIVATA

La casera se enteró de la fiesta del otro día

¿Sabes algo?

Nada, nada

¿Nada? ¿No sabes nada? ¿Seguro?

No sé por qué la chivata se marchó al día siguiente

La PESTOSA

¡Ha salido del cuarto!

Poto, tía

21

Aunque nosotras también éramos unas liantes (aunque alumnas de sobresaliente)

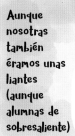

Desalojen el piso

Los vecinos han visto entrar a más de 50 personas

Vale...

FIESTA AQUÍ!!! ←

MULTITUD BORRACHA

Se nos ha ido de las manos

Jajaja, si no sé quiénes son la mitad

Creamos la leyenda de "la fiestus interruptus"

Una vez, casi quemamos el piso

Tía, hagamos una hoguera de San Juan en la olla

Tía... ¡Sí! ¡Qué buena idea!

A la llum de les fogueres!

¡Annaaaaa! Las llamas son muy grandes. ¿Qué hacemos? ¿QUÉ HACEMOS?

¡¡¡Y YO QUÉ SÉ!!! ¿¡BOMBEROOOS!?

Ella era mi familia en Madrid

El primer verano que volví al pueblo, no me podía creer lo mucho que había echado de menos el mar. Hasta la lluvia huele distinta.

¡Mamá, papá, he vuelto!

¡Quan!

Al volver, me di cuenta de que la distancia había mejorado muchísimo la relación con mis padres.

Ya que estás tú, me voy a dar una vuelta, ¡a trabajar!

Joer, acabo de llegar

Es el pueblo, ¿qué esperas?

¡Estás mucho más delgada!

A veces paso tanta hambre que me voy a dormir para no sentir nada

¡Estás loca! ¡Ah! Fu tiene que estar al llegar

El tinto a la mesa 20, chicas

Los abrazos de reencuentro eran mi parte favorita del verano

¡Fu!

¡Por fin estamos todos!

Y la sonrisa de mi madre al ver el nido lleno

Hace mucho que no comía comida china

Qing, te toca ya irte a la uni, ¿eh?

Sí...

Comed, comed

Fu, hablas raro, como con acento latino

Mamá, pesada

Como en casa en ningún sitio

¿Cómo no tenéis novio?

Os busco a alguien entre mis amigas

Y cómo no, las preguntas indiscretas

Fu, estás muy gorda, Quan, tú delgadísima

Alumnas de sobresaliente

Las notas le dan igual

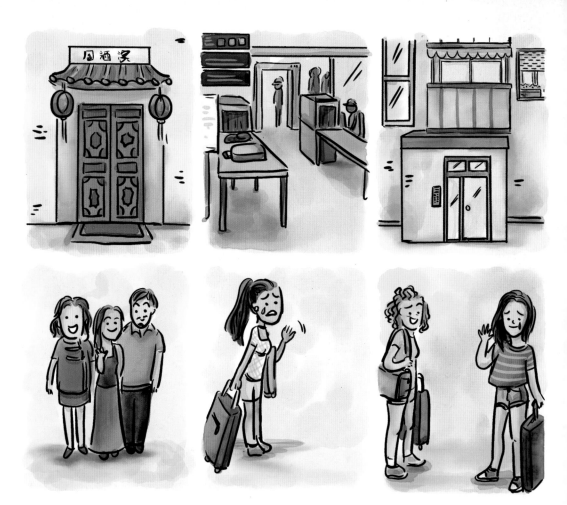

Cuando vives fuera, siempre estás de paso. Siempre despidiéndote. Y es realmente terrible estar diciendo siempre adiós.

Nunca te acostumbras.

Cómo odio las despedidas.

Rápidamente pasaron dos años, y cuando creía que tenía Madrid ya bajo control, volvía a irme.
Iba a terminar la carrera a Inglaterra, en un pueblecito universitario llamado Wolverhampton, al cual los ingleses llaman "el peor lugar de Inglaterra".

Mother of mine!!!

Absolutamente todo era nuevo otra vez. Vivía en una pequeña casita inglesa, con un jardín inglés y unos caseros ingleses.

Pero vivía con españoles.

Moqueta everywhere

¿Aquí no friegan o qué?

Hipermercados abiertos 24 h

¡Esto son cestas! No un sujetador

¿Aquí no roban o qué?

-5

Las inglesas salen siempre sin abrigo

¿Aquí no pasan frío o qué?

Mi facultad de diseño

OPPOSITES ATTRACT

bla bla design

bla?

bla bla

bla

bla, bla

bla, okay?

¿QUÉ OKAY NI OKOY?
No me he enterado de nada

OMAIGÁ
Si yo sé inglés

¿Qué invento es este?

Estoy soñando fijo...

JARENAUER
Me estará hablando en chino

¡¿GUAT DE FAC?!

Esto no me puede estar pasando, a mí no... Si yo siempre me entero y saco la mejor nota

Quan, esto no es así. Está mal. Repítelo

Así no se hace el ensayo de diseño

No has entendido el concepto del trabajo, Quan

¿Qué estoy haciendo mal? Joder, me estoy esforzando muchísimo

Nunca he sido mala estudiante... ¿¿¿Por qué, Zeñó, por quéééé??? No puede ser...

Te está costando, ¿eh?

No pensé que fuera tan difícil

Si quieres, te enseño mi trabajo y te ayudo

Mi diseño parece de los veinte duros...

Qué puta mierda me han enseñado en Madrid. ¿Inservibles mallas de degradado?

Valiente porquería...

21:00 p.m.

TAXI

¿Vas a la party house?

En nuestras fiestas había siempre gente de 5 países distintos al menos

Franceses

Chinos

Italianos

Ingleses

Noruegos

¡Traga! ¡Traga!

¡Cuidado! Que Ling no ha bebido nunca

Bleergh

¡Eew! ¡Noooo!

Se reventó las venitas del ojo de vomitar con tanta fuerza

¿Qué hacemos, Quan?

¿Acostarle? ¿No?

Ale... ¡apañao!

¡Que siga la fiesta!

Al final, eran siempre mejores las fiestas en casa. Hacíamos muchos amigos nuevos y acabamos siendo una "minifamilia"

¡Viva!

¡A tope!

¡Brindemos!

Allí, todos éramos de fuera...
Nadie se reía o se extrañaba de mi acento, tampoco se confundían con mi nombre llamándome "Juan".

Era simplemente Quan.

Ese año aprendí muchísimas cosas, que el café en UK es aguachirri, que la comida india y la comida china ¡y también los kebabs! estaban bastante más buenos en Inglaterra.

Que los "chavs" eran los equivalentes a los quinquis.

Los Beatles son de Liverpool y todo el merchandising de ellos es muy muy caro.

LIVERPOOL

Si me miras, ¡te rajo!

BIRMINGHAM

Hay barrios chunguísimos en Birmingham, donde te roban hasta el alma. Y los "cornish pasty" sí merecen la pena.

Los colegios mayores de Oxford parecen sacados de la tele, es más, escenas del comedor de Harry Potter se grabaron ahí.

OXFORD

9¾

LONDON

Y mientras en España aún seguíamos todos en el Tuentitu, en UK estábamos todos en la nueva red social de moda, el Fasebook...

Era una adelantada a mi tiempo.

Es muy muy caro y hace mucho mucho frío, pero es preciosa. Sobre todo en Navidad.

FASEBOOK

00:00 a.m.

05:00 a.m.

09:00 a.m.

QUAN ZHOU PORTFOLIO

¡Wow! Quan, muy bien, de verdad. ¡Has mejorado mucho!

De los estudiantes internacionales, eres la que más ha evolucionado, ¡te felicito!

Además, tienes dos ofertas de prácticas en estudios de diseño

Bueno, si te quedas en UK, tendrás un sueldo más alto. Está bien

Felicidades a la promoción 09-10

Ya, mamá. Supongo que acabaré yéndome a Londres

¡Ah!, se me olvidó contaros, resulta que me eché novio... Llamémosle "Gato Pobre".

¿Os acordáis de aquella noche? Pues al final, nos enamoramos...

Así que hice lo que toda tonta enamorada hace...

Te pagaremos una mierda, un horario aún peor y harás lo que los otros diseñadores no quieran, ¿ok?

WE ♥ BECARIOS

¡Adoro la crisis!

Eh... Ok, vale. ¿Cuándo empiezo? Joder, estoy vendiendo mi alma, ¿no?

Mi amiga Elena me dijo una vez que los que nos marchamos fuera, cuando volvemos, esperamos que todo esté exactamente igual que como lo dejamos. Pero el cambio es inevitable.

Y pese a que parecía una locura por el momento económico que vivía España y tenía mejores oportunidades laborales en Londres.

Volvíamos a vernos, Madrid...

Anna

¿Qué haces este finde?

Me voy a escalar con Gato Pobre

What? Pero si tienes vértigo!!!

Ya, tía... :/

¡Vente a Alicante!

Qué va ¿y hago con Gato Pobre?

Tía, ni que tu novio no tuviera amigos...

Bueno, lo miro. Q estoy mal de pasta

Quan, ¿tienes el boletín?

¡Ups! ¡Sí!

Mira, aquí están las ofertas

Cambia la tipografía a Arial

¿Arial? Pero si no tiene na...

Tú cámbiala y ya está

Arial, ¿¡Arial!? Puto señor sin gusto que me tiene haciendo putas newsletters de mierda

Mi trabajo no era precisamente lo que esperaba. Solía decir que lo más divertido del diseño gráfico era decir que eres diseñadora

Mamá, ¿has metido tu ropa en mi armario? ¿Y la mía?

Sí, ya no cabía más ropa en el mío

Cuando volvía al pueblo, aunque todo parecía igual, las cosas eran distintas...

Ay, echo en falta mis vitaminas y el secador

Tengo el pelo fatal

¿Vemos una peli?

En serio, Fufi, hablas con mucho acento latino

Hay un momento indefinido en que tu casa, la casa en la que has crecido, pasa a ser la casa de tus padres.

¡Que empieza! ¡Me encanta!

MAMMA MIA!

Lo hacemos tradición, ¿eh?

Quan ya se ha dormido

¡Ella siempre!

No se puede hacer nada con ella

Hay una palabra en inglés que describe lo que sentía en ese momento, "hierath", la melancolía y nostalgia hacia un lugar o un momento que ya no existe.

¿A dónde había vuelto?

Los días pasaban, y se convirtieron en años.

Y me adapté...

¿Eh?

¡Quan!

41

Y de repente una noche, apareció él

Llamémosle
Río Bueno.
Un arquitecto,
guapísimo, inteligente
y por supuesto, español
de nuevo... Gallego para
más inri.

¿Qué pasa en esos casos en los que no quieres novio ni en pintura? Que vas del rollo: tío, no quiero nada serio.

QUE TE ENAMORAS

Fu

Tía, Río Bueno es el amor de mi vida

¡Hasta vamos a adoptar un gato!

¡Esto es serio!

¿No vais muy rápido?

No te precipites

Ya le conocerás cuando vengas a España.

Por cierto, mamá está on fire

Desde que tiene iPhone no para la tía

Está superpesada con los novios

Quan, ¿qué tal?

¿Pagan bien? ¿Seguro que no es mejor que montes un alimentación?

¿Y ese novio tuyo? ¿Os casáis ya?

Muy bien, mamá, ¡tengo trabajo nuevo!

Seguro, mamá... mucho mejor esto

Ehm, hace mucho que lo dejamos, estoy con otro

¿Y qué te dijo tu madre?

Hija, ¿un año con otro? ¿Por qué no me lo contaste antes?

Que eras más guapo que el anterior, y mira que pensé que no os distinguiría

Y que si eras cristiano y si tenías pisos y locales. Lo típico

49

La mamma dice que os vengáis a casa el gato y tú

Así te animas, Quan

¡Quanchy, si eres una mujerona! ¡Anímate!

¿Islandia?

Vente a Miami y te despejas

USAAIRLINES
MADRID ↔ MIAMI
COMPRAR

Bueno... Supongo que tendré que contárselo a mi madre

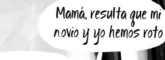
Mamá, resulta que mi novio y yo hemos roto

¿Cómo? ¿Te ha dejado por tu mal carácter?

Es más complicado que eso

Bueno, Quan, no pasa nada. Nos puedes contar estas cosas, mamá y papá han cambiado mucho

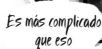
Gracias, mamá

Papá dice que si quieres que te presente a un chino

Y de pronto me di cuenta
de que muchas veces

lo que buscamos
estuvo siempre ahí

Y demasiado fácilmente se nos olvida lo que tenemos

Madrid,
lo que me
ha costado
quererte...

EL VARÓN ZHOU

Historias muy masculinas

MIAMI

Idiomas hablados en este capítulo:

Español

Chino

Inglés

La familia Zhou

Callado y trabajador, como todo patriarca chino

Mandona y respondona, como toda matriarca china

Papá ZHOU

Mamá ZHOU

Nosotros somos toda su prole:

YO

Quan

Qing

Encheng

El benjamín

Hermana mediana

Hermana pequeña

Fu

Soy la hija mayor de los Zhou, me llamo Fu, aunque cariñosamente todo el mundo me llama Fufu, ya que en China, repetir el nombre es una muestra de cariño.

Fufu, ¡vamos de compras!

Al-fafone, vamos a jugar al parchís

¿Fu? Eso es nombre de gato

Profesor desgraciado

"Fu" significa "felicidad". Aunque quizás me hubiera pegado más "soñadora".

Discreta y comedida

Reservada y soñadora

¡Mira!, puedo tirarme un pedo hacia arriba

Alegre y escandalosa

Malhumorado y chillón

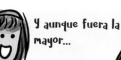

Y aunque fuera la mayor...

Fufu

Fufu

Fufu

¡Respetad a Fufu! Llamadla "Gran Hermana Mayor"

Gran Herm...

¡Fufu!

Fufu

Con mis hermanos era una igual...

Pero con mis padres era distinto. Ya que los padres chinos esperan muchísimo de sus primogénitos.

Fufu, escúchame

Tienes que dar ejemplo

Sí, mamá

Tienes que cuidar de tus hermanos y educarlos,

tienes que trabajar duro y sacar buenas notas

y casarte con un chino con dinero

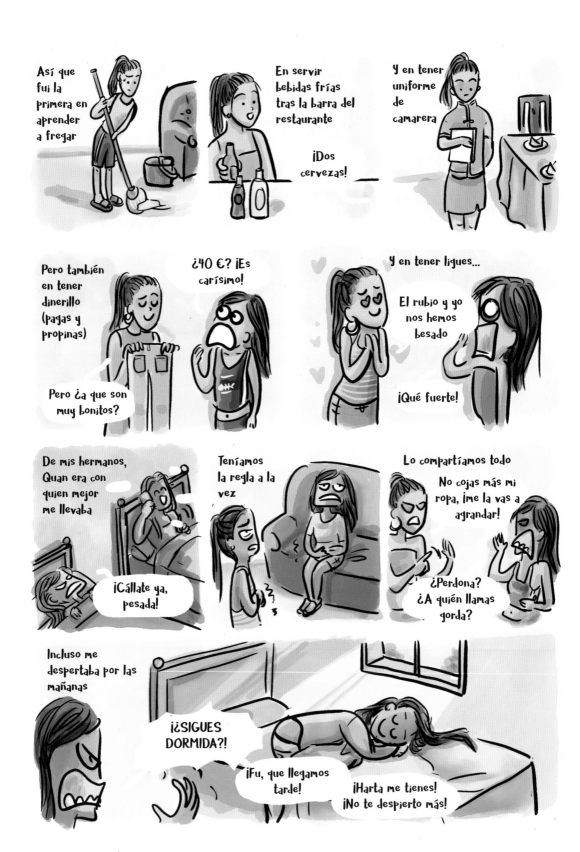

Un día me enamoré, y me eché un novio español

Te enamoraré con mis rimas raperas

Que por alguna razón, no le gustaba a nadie, ni a mi familia ni a mis amigas

Cari, vas a cumplir 18, nos vamos a vivir juntos y te enchufa mi padre en el Mercalonas de cajera

¡Es mi novio y le quiero!

¡Es un don nadie de mala vida!

¡Es mi vida!

¡Vida tirada a la basura!

• • •

No me esperaba esto de ti, Fu

Mi hija más guapa con un español, encima feo

¿Al menos será cristiano? ¿De buena familia?

¿Desde cuándo tú quieres quedarte en el pueblo?

¡Tu sueño siempre fue ir a la universidad y viajar!

¿Tiene coche? ¿Pisos y locales? ¿Puede proveer para ti?

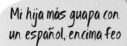

Yo siempre fui el ejemplo a seguir, la hija mayor que tenía que ser perfecta. El que tuviera un novio español (que también fui la primera en eso) fue una bomba nuclear familiar, se metieron en medio hasta mis tíos, primos...

De esa ruptura, lo que más me dolió fue haber decepcionado a mi familia.

Después de tanto drama, me sentía tan mal que intentaba compensar...

Fu, toma, el número del chino de Antequera

Así quedáis, tenéis una cita

Es muy buen partido. ¡Tiene muchos negocios y pisos!

Eh... Bueno

Hey

Hola

¿Qué negocio tienes?

...   ...

Tiendas

La peor cita EVER

Fu, hay una boda china en Madrid, tienes que ir a conocer al hermano de la novia

Bueno...

Si viene Quan conmigo

¡No! ¡Qué rollo!

Andaaa, será divertido

Me ha llamado la madre

Dice que Fu es muy bajita para su hijo

¿Quién se cree?

Si su hijo era calvo

Al menos la comida estaba buena

Menos mal que me voy a Miami

El día que me fui tuve sentimientos encontrados...
Cierta tristeza por dejar atrás a toda mi familia y a mis amigos.
Pero sobre todo sentía ilusión. Había recibido una beca y me iba
a estudiar a la universidad americana.

Por fin, era libre.

Welcome to Miami, bienvenidos a Miami.

Pese a que yo pensaba que los americanos eran iguales a los españoles

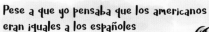

Iba a dar dos besos

Los americanos son mucho más distantes y necesitan mucho más espacio personal

Mientras que mis amistades en el pueblo no podíamos más con tanto cariño

Los coches y las calles son gigantes, y casi siempre va una sola persona en el coche

En mi pueblo, absolutamente todo es más compacto que en Miami

La gente va arreglada y maquillada a South Beach

En el pueblo vas con el pelo sucio, y ropa que está casi para tirar

¿Para qué me voy a peinar? Si, total, se me va a manchar todo de sal

Publis
FOOD & MUCHAS COSAS

Tenga, señorita

Al hacer la compra, los empleados te llevan la compra al coche.

MERCALONAS

Mientras que en el pueblo...

No he podido comprar tampones porque han cerrado a las 13:58

Pasillos gigantes llenos de dulces. ¿Cómo puede ser? Con lo golosa que soy

Quería probarlo todo, la comida americana XXL

Allí, la comida rápida es muchísimo más barata que la comida sana

Comer fuera cuesta lo mismo que comer en casa

¿Ves esta manzana? Lleva una semana en la nevera ¡y no se ha oxidado!

Fu, eso es una guarrada. Qué puto asco

Además, hay iguanas gigantes en los parques ¡y mapaches en la residencia universitaria!

¡Oh!
Tráeme un mapache cuando vengas en verano

Obviamente, engordé...

Curiosamente, mientras en el pueblo mis amigos eran todos españoles

Koo, coreana deportista

Yun, china maoísta

En Miami, mis amigos tenían alguna relación con Asia

Ling, hijo de políticos

Conecté mucho con Yun, pese a que sufría lo que yo llamo: síndrome de emperatriz

Yun

?

¿Me darías un vaso de agua?

Su hospitalidad

Agua de Yun

Como nació en la política de un solo hijo en China, era demasiado egocéntrica

También me sorprendían mucho sus ideas políticas, ya que a su familia le habían expropiado muchas tierras

Yun, ¿no piensas que todo el mundo tiene derecho a decidir?

No

La democracia es una pérdida de tiempo

Los políticos pierden el tiempo peleándose entre ellos y al final no se hace nada

Fu, hazme otra foto, que cambio de pose

Yun, llevamos 7 ya

Qué china eres, por favor

Algo muy curioso es que al principio hablábamos en inglés, pero acabamos hablando en chino.

Era una chica con muy buen fondo, y siempre estuvo para mí.

Para ayudar con la economía trabajaba a tiempo parcial de nanny, en la casa de una familia americana.

Fu, ¿nos lees otro cuento?

Enseguida nos cogimos cariño. Adoraba a las niñas.

Fu, tenemos hambreeee

¡Ay! Me encanta cómo habláis, ¡me derrito!

Y las presenté a mi familia

Hola

Hola

Eran mis dos angelitos rubios

Con la familia me llevaba muy bien, el padre se preocupaba mucho por mí.

Fu, no te vayas por cualquier sitio, que te pueden apuntar con un arma

Tengo que decirle a Mr. Ben que me deje de comprar yogur de vainilla... Hay 25

Te dejo este vestido para tu cita, Fu

La madre y yo éramos como hermanas

¡Me encanta! ¡Muchas gracias!

Pues te lo regalo

¡Muchísimas gracias!

Mmm

No es suficiente, ¡vámonos de compras!

Fu, ¿qué tal tu cita?

¡Fuuu!

¡Hey!

Pues verás...

¿Nos llevas a la piscina?

Estaba buscando "una buena esposa cristiana"

Vaya... ¿entonces hay boda o no?

Al estar mi familia tan lejos, me sentía muy agradecida y afortunada de tenerlos. Los quería casi tanto como a mi propia familia.

Os he traído estas camisetas de recuerdo de South Beach

Gracias...

Esto no tiene bolsillos, tu padre no se lo va a poner

En verano, era temporada de huracanes en Miami, yo me refugiaba en la tranquilidad del pueblo. Mi hogar en España.

Fueron unos años muy felices en los que aprendí muchas cosas.

Al año siguiente, la familia se mudó a Houston, y yo empecé a trabajar con una amiga de ellos.

"La señora divorciada", mujer trabajadora con 3 hijos. Eran una familia acomodada.

¡Bienvenida, Fu!

Adiós, señora

Con lo cual, la casa la llevábamos la cocinera latina y yo.

La señora trabajaba muchísimo, y se pasaba la mayor parte del día fuera de casa.

¡Hasta la cena!

¡Adiós, mamá!

Yo inventé el fitness

La admiraba muchísimo. Era una mujer muy responsable, reciclaba, trabajaba y tenía tiempo de ir al gym. Siempre dispuesta a ayudar.

¿A tus padres les va regular, Fu?

Sí, con la crisis en España, por eso no sé si podré seguir aquí

¿Por qué no te vienes a vivir aquí? Así gastas menos.

¿Cómo? ¿En serio?

Sí, los niños te adoran. ¡Eres de la familia!

Fu, ¿puedo dormir contigo?

Al vivir con ellos empecé a quererlos mucho más.

Claro, peque... Ven

Me sentía de la familia, feliz y agradecida de tenerlos.

Te quiero, Fu

5:00 a.m.

Y naturalmente salía de mí cuidarlos más

Bueno, ya que estoy le hago el desayuno también a la señora

Y más...

Fu, tengo una cita, ¿te quedas con los niños?

Oh, es mi día libre... pero bueno

Vale

Y más...

Fu, te has gastado el sueldo en regalos

No pasa nada, lo hago con mucho gusto

A mí me bastaba con verlos sonreír.

Fu, te quiero mucho

Yo te quiero más, Fu

Hasta que un día...

¡Fu! ¿Qué te pasa? Hace mil que no llamas ni nada

Estoy muy ocupada, Quan

Entre los niños y la uni, no tengo tiempo ni para mí

El año pasado sí tenías

Quan es... intensa. Y discutir con ella es agotador. Muy agotador.

Fu, tienes mala cara, ¿qué te pasa?

He discutido con Quan

Y después de lo cansada que estaba siempre, no podía con esto.

¡No debes consentir que tu hermana te hable así! ¡Qué poca educación!

Es que ella es así, tiene buen fondo

No, Fu, tiene que guardar las formas con su hermana mayor, no se pueden consentir esos gritos

Mmm, no sé

Puede ser

¡Tú hazme caso!

Ya sabes que aquí me tienes para lo que necesites

Yun, ¿quieres comer algo?

¡Sí!

Lo delgada que es y lo que come

mmmm

Y en su casa no ofrece ni agua, la comodona

Te traigo un expreso

Gracias

Tienes mala cara, ¿estás bien?

Sí, todo bien

¿Te has comido los mangos orgánicos?

Sí, ¿por?

Eran para los niños

No lo hagas, además has engordado aún más. Deberías cuidarte

...

...

¡Feliz Navidad!

¡Nos vamos, Fu!

...

¿Quizás las cosas no eran tan bonitas como yo creía? ¿En qué momento empezaron a cambiar? ¿Cómo había acabado pasando la Nochebuena así?

Eran preguntas para las que no tenía respuesta.

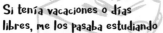
Si tenía vacaciones o días libres, me los pasaba estudiando

Y la situación con mi familia y con Quan seguía siendo tirante y distante

...

Pensaba que todo merecería la pena, que no me había ido de España para nada

Me enfocaba en lo cerca que estaba mi graduación. En que era mi sueño estudiar en la universidad.

Y que sería CEO de una multinacional con un sueldo de 5 cifras nada más salir de la carrera...

El verano llegó

Fufu

¡Has vuelto!

¡Fufiiii!

¡Echaba de menos la comida!

Tienes que llamar más a casa

Come lo que quieras, ahora que puedes

Fu, tienes muchas manchas en la cara, qué fea

Además, has engordado mucho

Tonta

Te tenías que haber quedado aquí y casado

Ja ja ja

Mamá, tú no cambias nunca, ¿eh?

Y en ese momento tan cotidiano, tan de mi madre, me di cuenta de lo mucho que los había echado de menos. De cuánto los añoraba en la distancia.

Creo que me di cuenta entonces de que no era feliz con la señora divorciada. Que ellos no eran mi familia.

Recuerdo pensar en el avión en lo injusto que era estar tan lejos de las personas a las que quería. ¿Quizás mis sueños tenían un precio demasiado caro? ¿De verdad merecía la pena?

Ten, Fu

Muchísimas gracias

¿Viste anoche "Dexter"? Está genial

¿"Dexter"? ¿Eso qué es?

¿Vives exiliada en una cueva? Es la serie de moda, Fu

¡No lo sabía!

No tengo tiempo de ver series...

Cuando pasaban este tipo de cosas siempre pensaba en dejarlo, pero luego pensaba en la familia y todo lo que habían hecho por mí.

Y sobre todo pensaba en lo mucho que quería a los niños.

Y claro, todo ese estrés me pasaba mucha factura...

Venid a mí todos los mangos orgánicos y los chocolates

4:00 a.m.

Nos gustaría que fueras la presidenta del consejo estudiantil

¿Yo?

Eres una estudiante excepcional

Por supuesto tendrías sueldo y seguro médico

¿Me lo puedo pensar? Es que ya tengo un trabajo a tiempo parcial

Ese semestre me llamó el director a su despacho

No puedo compaginarlo todo

¿Pero a ti qué te apetece, Fu? Ni que ser nanny fuera el trabajo de tu vida

Si te apetece esto, hazlo, la señora ya se buscará otra nanny

No sé lo que hacer

Si ya no tengo tiempo para nada

Mmm

Supongo que tienes razón

Y de repente pensé: ¿cuándo había dejado de pensar en mí? ¿Cuándo había vuelto a vivir para otros? ¿Cómo había dejado de pensar en mis sueños?

¿En qué momento del camino me perdí a mí misma?

Así que decidí dejar a la familia, pero la señora no se lo tomó demasiado bien...

Trabaja, china desagradecida

Sí, señora

Es broma...

Oh, Fu

Qué pena

Hemos tenido roces, pero ¿es definitivo?

Te quiero, Fu

Y yo a vosotros, os voy a echar de menos

Respetaron mi decisión y a día de hoy seguimos teniendo relación

Adiós

Y aunque pensé que mi madre se enfadaría conmigo...

Fu, deja ese trabajo

Ya encontraremos la manera

Ese año di el discurso de graduación, fue muy bonito

Muchísimas felicidades a todos los graduados.

Como estudiante internacional entiendo los sacrificios que habéis tenido que hacer para estar hoy aquí.

Yo tuve que dejar mi querido país, mi amada familia. Mi madre preguntó: "¿Por qué América, Fu? Tan lejos".

Y yo le respondí: "Los sueños deben perseguirse, mamá". Ese camino es el que me ha traído hoy aquí.

Hoy empezáis un nuevo capítulo en vuestra vida, y ese capítulo está en blanco. Creed en vosotros mismos y nunca dejéis de soñar. Ya que solo soñando se llega más allá de lo que nunca imaginamos.

Quan cortó con su novio, y vino a verme para despejarse

¡Quaaaaan!

No me puedo creer que por fin estés aquí

La primera vez que vengo y me tienes una hora esperando en el aeropuerto

Estaba muy ilusionada con su visita y había planeado mil cosas para animarla.

¡Perdón! El brasileño dijo que llegaríamos a tiempo a recogerte

Qué puto

Espero que a Río Bueno se le enturbien las aguas

Relaja, Fu, no desees el mal a nadie

que luego atraes el mal karma

Let it go! Let it go!

Tú no seguirás con tus rinitis y tus clínex en la cama, ¿no?

Bueno, solo a veces

Qué asco, Fu

84

Nada de espíritu navideño, ¿eh?

Con la calor

Imposible sentir la Navidad

Oye, Fu, cuando nos distanciamos, Gato Pobre metió cizaña. Que si eras mala hermana...

¿En serio? Desgraciado

Espero que le dé cáncer al puto Gato Pobre

Relájate con el cáncer, Fafa, que no desees el mal te he dicho

A mí me pasó lo mismo con la señora

Hemos sido muy tontas, en serio

¡Es broma!

La verdad es que comparto piso como todo joven adulto, tengo un trabajo normal en una empresa de exportaciones.

Te odio

El gato se ha meado otra vez en el sofá

Lo siento, no sé qué le pasa

Mi trabajo está a hora y media en coche, así que aprovecho para llamar a mi familia

Quaaaan, me aburroooo

¿Has visto las fotos de mi gato?

Quaaaaan, ¡préstame atención!

Fufu, estoy trabajando, no puedo hablar

Mamá, ¿qué tal estáis? ¿Bien de salud? ¿El restaurante qué tal?

Todo bien, Fu

Voy a colgar, que es peligroso hablar mientras conduces

Tía, Fu

Vuelve a España, petarda. No se te ha perdido nada en ese país. Estamos todos aquí.

Duermo mis horas, voy al gym, viajo y lo más importante:

decido lo que quiero y lo que no en mi vida.

No sé si me haré millonaria o si volveré a vivir en España.
Lo único que sé es que pase lo que pase, habrá sido decisión mía.

La lección más importante que aprendí en estos años es

eL vivir para uno MISMO

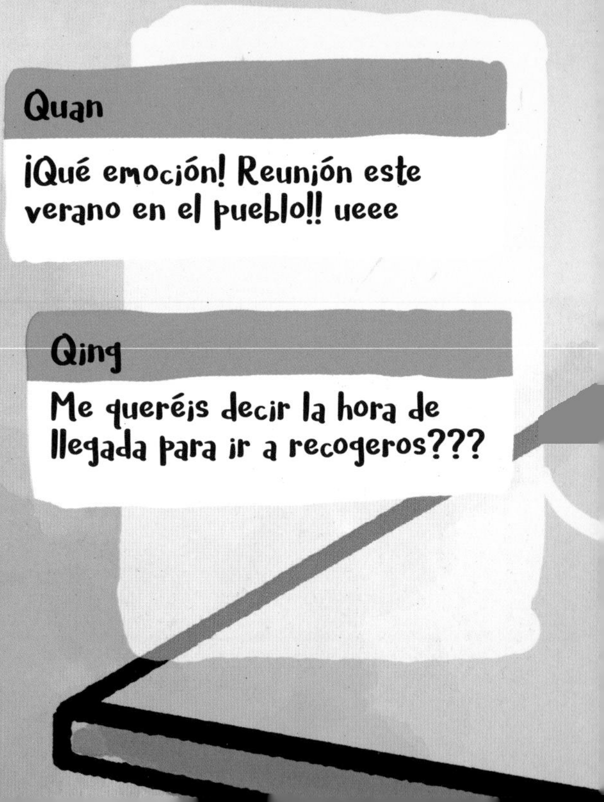

Quan

¡Qué emoción! Reunión este verano en el pueblo!! ueee

Qing

Me queréis decir la hora de llegada para ir a recogeros???

el varón zhou

Historias muy masculinas

Tenía que aprender a cocinar

La pasta siempre es fácil, ¿no?

...

Quan, ¿qué hago con la cebolla? ¿La corto?

 ×100000

¡Uoooh! Si estoy hirviendo pasta

...

Me está dando diarrea

Like a sir!

¿Y esoooo?

¿Lo has hecho tú?

Sí, Fu, hasta me he hecho un Instagram: @chinichef, soy todo un crack

MáLaGa

Idiomas hablados en este capítulo:

Español

Chino

Inglés

Francés

La familia Zhou

Callado y trabajador,
como todo patriarca chino

Mandona y respondona,
como toda matriarca china

Papá Zhou

Mamá Zhou

Nosotros somos toda su prole:

Fu

Hermana mayor

Quan

Hermana mediana

YO

Qing

Encheng

El benjamín

Esa soy yo, la hermana pequeña de los Zhou.
"Qing" significa "frescura" o "eterna juventud", y
además "verde", sí, el color.

Ser la pequeña no es nada fácil

Qing, hazme cosquillas hasta que me duerma

Ojú, qué pesá

Qing, tráeme esto, esto y aquello

Ojú, qué pesá

Qing, friega el suelo antes de ir al restaurante

Ojú, qué pesá

Toma, Qing, mis antiguas botas de agua

Pero si ya no están de moda

Todo es heredado siempre y siempre

Toma, Qing, mis bikinis de Miami

Pero si están desteñidos ya

Toma, Qing

¿Pa qué?

Y tus hermanas mayores están continuamente chinchándote

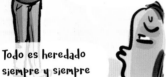

¡El último que termine limpia la mesaaa!

ñam ñam
ñam

Un mes limpiando

Qing, tú no, que la peli es de mayores

Sí, mejor te vas con Encheng por ahí

...

Y sobre todo, se creen que eres la pequeña que no entiende nada

Pero no todo son desventajas siendo la pequeña. Trabajaba menos en el restaurante.

Nos vamos a casa

¡Quedaos un rato y jugamos al parchís!

¡Barrera!

¡Iros ya!

¿Otra vez?

Ojú, qué pesá

Que aquí se trabaja

Y aunque no fueran de estreno, algunos regalos eran bastante buenos

Toma, Qing, mi antigua réflex Nikan y mi antiguo portátil

¿Te doy algo?

Las gracias, chiquilla, ¿qué me vas a dar?

Toma, Qing, toda esta ropa, zapatos y bikinis de marca que ya no uso

¡Oh!, muchas gracias

Y nunca nunca nunca tienes que pagar, porque los chinos siempre invitan a los pequeños...

¿Cuánto es cada una?

¿Qué vas a pagar tú? Anda, anda

Ni tú, Quan, dame la cuenta, que soy la mayor

Quizás sea porque he sido la pequeña en un pueblo pequeño, pero siempre he deseado

SaliR FuERd y Viajar

Tras mis hermanas, pronto llegaría mi turno de ir a la universidad.

¿Qué harás, Cynthia?

Quería ser bombero, pero mi madre no me deja

Yo creo que magisterio o filología en Granada

¡Hostia! Yo criminología en Madrid

¡Jo! ¡Nos separamos, Cynthia!

Estaba tan entusiasmada. Tenía muchísima ilusión por salir del restaurante chino y empezar a hacer mi vida.

Pero estábamos en el fatídico 2011 y en plena crisis económica...

Qing, ven. Siéntate y hablamos

Con la crisis el restaurante no va muy bien

Tus hermanas tienen gastos en la universidad, y no estamos muy bien ahora

No nos podemos permitir que te vayas muy lejos, lo mejor será que estudies la carrera en Málaga

Fue un momento muy duro para mí

Estaba confusa, mi futuro tenía opciones limitadas

¿Qué bachillerato hago?

¡Arte! Como yo

Mmm, haré humanidades, que tiene más salidas

Ah... Ok

COSAS DE GRIEGOS

Cómo eran estos griegos

Y aunque la gente tiene buenas intenciones

Haz diseño gráfico como yo

No sé

¡Paleto!

Cómo le hablas así a Qing

Qing, traducción es muy difícil, no vas a poder

Qing, lo mejor es que te quedes el restaurante y te cases

Llegué a selectividad sin saber qué carrera iba a hacer... Solo sabía que estudiaría en Málaga

SELECTIVIDÁ ANDALUZA

11/9/14

FACULTAD DE FILOSOI

Así que decidí hacer traducción e interpretación (además, a mi familia siempre se le dieron bien los idiomas)

Y aunque tenía muchas ganas de irme del pueblo, empezar la universidad en Málaga para mí era

La Hecatombe

Las cosas en el piso compartido no era un camino de rosas

Hola, chicas

Como Pedro por su casa

Hola

¿Ya está aquí otra vez el novio de la Boreal?

Nunca se fue

Chicos, bajad la voz, intento estudiar

Sí, sí...

Ojú

Menuda peste a porro, chicos

Los fines de semana volvía al restaurante a ayudar a mis padres

Qing, quédate tú, que mamá se va a dar una vuelta

Estudiaba en el restaurante cuando no había clientes

E intentaba ser la conciencia de mi hermano

¿Qué tal el insti?

Meh

¿Por qué no paras de dormirte en clase?

Porque tengo sueño

¡Pues deja de jugar a los videojuegos por la noche!

Meh

Pero la carrera era mi oasis, no esperaba encontrarme algo que me gustara tantísimo. La encontraba fascinante, y las horas que pasaba traduciendo pasaban volando, y enseguida empecé a sufrir deformación estudiantil

¡Esto está mal escrito! ¡Y está publicado! Qué fuerte

¿Por qué la gente ve las películas dobladas? No entiendo

Oi, Qing, ella la traductora. V.O. para todos, plis

Qing, es "shiny shoes"

PÁSAME LA SAL GORDA
PÁSAME LA SAL, GORDA

Y por esto, chicos, es tan importante la puntuación

Me encanta esta profesora

Esta ha sido mi última clase, me voy mañana

¡¡¡NOOOOOO!!!

Ay, qué rica, que te da pena que me vaya

Qing, tus hermanas se han ido a UK y USA, ¿y tú qué haces aquí?

¿Qing?

Pues estudiar

Os podrá parecer una tontería, pero ese comentario me dolió mucho.

Me recordó que yo estaba ahí porque no quedaba otra opción.

Qing, salimos esta noche al centro, ¿te vienes, no?

Pues no me apetece mucho, Chema

Anda, sí, y de paso nos cenamos unos camperos

¿Camperos? ¿Eso qué e?

Chiquilla, unos bocadillos. ¡Ah!, es que es muy de Málaga decir "camperos"

No lo había escuchao en la vida

103

Ah, los chicos; mis hermanas siempre me preguntaban por ellos.

Qing, ¿algún chico que te guste?

Tiene que pasar por mi aprobación, ¿eh?

¡Y la mía!

¡Si te hace daño, le mato! ¡Y yo!

Chicas, que no hay na, no hay percal

Estábamos tan ocupadas que había que hacer un evento en Fasebook para coincidir

Poned caras, que hago pantallazo

Mis amigos pensaban lo mismo que mis hermanas

Qing, ¡tenemos que aprobar a tu futuro noviooo!

Luego, estaba mi madre, que desde que tenía iPhone no paraba de enviarnos mensajes

Qing, te paso el contacto del hijo de una amiga. Tiene una tienda y mucho dinero, así que a ver si te gusta. ¡Contesta sus mensajes!

Hola, yo epaño legula

tú no habla chino? tú va iglesia china tambin?

Eh, hola, no voy a la iglesia china

Mi madre me quiere liar con el Shin-chan chino... Ahí se queda él con sus tiendas

Iglesia china muy bin, ir junto domingo?

No, gracias

Aparte del ansia de casamentera de mi madre...

era bastante bonito que la gente se preocupe por ti.

Poco a poco iba aprendiendo a ajustar mis tiempos

¡Y mis padres me regalaron un coche! (De segunda mano)

CARBAZO_V

Al principio, mi conducción era algo accidentada

¡Ups!

¡Niña! ¿Qué hase?

¡Pepo! ¡Qué fuerte! Que me acaban de dar la beca Erasmus a Italia

¡Ala! Felicidades, Avelino

¿Qué vas a hacer? ¿La vas a aceptar?

Aunque las cosas en Málaga iban mejorando y yo estaba más optimista, mis ganas de viajar seguían ahí...

No sé, tengo que hablar con mis padres, no quiero hacerme ilusiones

Pero eso no fue lo que pasó exactamente...

Qing, son muchos gastos y la beca es poco dinero. Lo siento, pero no puedes aceptar la beca

Esa noche algo cambió en mí.

Mis compañeros se iban de Erasmus ese año. Y yo acepté que no me iba a ir al extranjero hasta que fuera económicamente independiente, no tenía sentido seguir esperando a que pasara algo.

Tenía que seguir mi vida.

Empezaba un nuevo curso, y como la mayoría de mis amigos se habían ido de Erasmus, los poquitos que quedábamos empezamos a conocernos más

Hola, me llamo Qing

¿De dónde eres, Rosita? No pareces de aquí

Tú tampoco, Qing, jaja. Yo soy boliviana

Hola, soy Rosita

Antes de entrar en la UMA hice un módulo de preparación física

¡Oh!, podríamos entrenar juntas

¡Venga, vamos, Qing!

Glu

¡A tope con la elíptica, Qing! ¡Dale!

Uff Uff

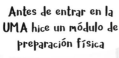
TETERÍA EL HARÉN

Empecé a descubrir sitios a los que no había prestado atención

¡Mi madre se puso a regatear en la mercería! ¡Qué fatiga!

¡Qué arrascá ella!

Las Boqueronas internacionales

"Arrascá" es muy malagueño

Fatiga = vergüenza
Arrascá = listilla

Sí, al llevar tantos años aquí se pega todo

Rosita y yo pronto nos hicimos inseparables

Tenemos que terminar el trabajo de jurídico el domingo

No puedo, voy a la iglesia

¿A la iglesia?

Sí, soy cristiana protestante

¡Qiing! No quiero conocer al Señor todavía

¡Perdóóón!

Voolantazo

BREVE INCISO HISTÓRICO

Allá en los tiempos antiguos, en la Europa del siglo XVI, el cristianismo se había ido un poco de madre

Salvación y perdón de los pecados a buen precio. Ofertón: Hoy 3x2

Soy Martín Lutero, y esto me parece un pitorreo. No me parece nada bien

Este cristiano muy majo y con mala leche decidió tomar cartas en el asunto

¡El pueblo tiene derecho a conocer la Biblia y las Escrituras!

¡Sííí! ¡Queremos saber!

¡Protestad! ¡Indignaos!

¡Fuera los clérigos corruptos!

¡Fuera los corruptos! ¡Fueraaaa!

Se quemaron cosas y después, más o menos así, se separó el cristianismo y surgió el protestantismo.

Tenían una escuela de chino para los hijos

Y los adultos tenían el culto en la sala principal

Mi familia es de Qingtian, está muy cerca de Wenzhou, la ciudad con mayor población cristiana en China. La llaman la Jerusalén china

Mi abuela es muy devota, y aprendió a leer ¡en chino! con 60 años para leer la Biblia.

En la iglesia china, los jóvenes jugaban al ping pong en sus ratos libres

Y los amigos de mis padres venían a rezar por diversas razones

¡Hemos recogido mucha comida!

Hay mucha solidaridad

Así que aunque me había criado en una familia profundamente cristiana, yo no tenía muy claro en qué creíamos exactamente

Rosita me explicó que no creen en los santos ni en la Virgen y que no tienes que confesarte.
Y empecé a conocer amigos suyos de la iglesia a la que iba.

¿Ah, sí?

Yo antes era costalero

Los protestantes llaman a la misa "culto", y el coro canta "alabanzas"

Parece un concierto, hay gente muy motivada saltando y bailando por ahí

Me sorprendió, sobre todo, su amor a las personas, que para ellos, proviene de Dios

¡Qing!

Tu amigo me ha dado más comida para la ONG

De verdad que le doy gracias a Dios por haberte conocido

No tengo palabras para explicar cómo ni cuándo fue, pero un día me encontré con Él.

Creo que mi fe siempre estuvo ahí, a la espera de ser encontrada.

Y que Dios ha estado guiándome hasta aquí.

Qing, delegada de clase, que el Señor nos pille confesaos

Las cosas en Málaga estaban bien, era delegada de clase y sacaba buenas notas. Tenía mi vida, mis amigos y mis planes.

Oye, ¿vamos al Paimark después de clase?

No empecemo, Pepo

Vale, que necesito un pijama y son mu baratos

Zhou sisters

Quan:
Qiiiing ¡oyeee!

Fu:
holiii? 😩💔

Quan:
No sabemos na de ti

Qing:
Perdóónn

Qing:
Es que estoy muy ocupada. Tengo clase por la tarde y también trabajo de profesora particular. Llego a casa a las 21 p.m. de la noche.

Os leo, pero a veces no me da tiempo de contestar. Por aquí todo bien, liada con proyectos de la uni.

Qing:
Parad ya con los gatos...

Y aunque el restaurante chino siempre era un rollo, mis padres se relajaron un poco

Qing, llegas muy tarde. Tienes que trabajar, que mamá ya es mayor

Había atasco

Bueno

¿Y si te quedas el restaurante?

Tenemos otro pretendiente para ti, hija

Por fin me sentía integrada en Málaga, encantada con sus calles, su ambiente, su gente, que ahora era la mía.

Perdón por el retraso

No pasa na

¡Chicas, me caso!

¿¡Quéééé!?

¡Qué fuerte, Rosita! ¿Cuándo?

¡Este verano! ¡Seré señora Rosita!

Me alegro muchísimo, de verdad

Fu:
Qiiing, ¡préstame atención! te voy a mandar fotos de gatitos

Estaba tranquila, sabía que Dios tenía un plan para mí, que estaba aquí por algo

Aprendí a apreciar de manera distinta la
vida y a ser agradecida, pero en mi interior

nunca dejé
de soñar

Salmos 37, 4
Deléitate en el Señor y Él te concederá los deseos de
tu corazón

Ojú, qué cacharro, me ha dado tiempo a ducharme y no ha arrancado todavía

INBOX (1)
SPAM (579)

Estimada Srta. Zhou:

Hemos recibido su solicitud y nos interesa mucho su perfil para el voluntariado europeo en Francia. Querríamos hacerle una entrevista por videoconferencia.

¿SVE? ¿Cuándo eché yo esto?

¿Voluntariado en Francia? Voy a presentarme, total, es gratis

Hace meses en clase...

No sé qué hacer, veo muy difícil que me cojan o que me dejen mis padres

Chiquilla, haz la entrevista, que no te cuesta nada

Si Dios te puso esto en tu camino...

será por algo, haz la entrevista

Así que me armé de valor e hice la entrevista, aunque tenía bastantes pocas expectativas

Bonjour Qing

Bonjour madame!

118

Qing

Hemos hablado con Quan, y nos ha explicado bien todo lo de Francia

Nos parece bien que vayas

ME voy a LA FRANCE'

¿Por qué estaban tan en contra tus padres?

Pues verás...

Se pensaban que me iban a vender como prostituta

Jajaja, como en la peli "Venganza"

Los siguientes meses, no me hacía a la idea de que me iba

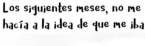

¡Te vas ya!

¿eh?

¡No me lo creo!

¡No te queda nada!

¡No me lo creo!

¡Te vas ya la semana que viene!

¡No me lo creo!

No me lo creo todavía

Hablamos en inglés, mientras te acostumbras al francés

Vinçen era el encargado del voluntariado. Compartiría piso con una chica turca

¡Qing!

?

AEROPORT TOULOUSE BLAG

VIVA LA france

Música de fondo: "La vie en rose", Édith Piaf

Mi voluntariado era en un internado agrícola, en un pueblo precioso llamado Albi. Parecía salido de la película "La Bella y la Bestia".

¡No me lo creo!

Esta noche la pasas en casa con mi familia, mañana te llevo al piso

Voy a avisar a mamá

Trrr

Trrr

Trrr

))) Qing, mamá está preocupada, ¿has llegado?

)) Qiiing, ¿ese hombre es de fiar? ¿Estás bien? Ay

Quan:
Qiiiing, da señales de vida ¡estoy preocupada!

Fu:
Holaaaaaa????
Qiiiinnnngg???

Qing:
¡Acabo de llegar!

122

Casi no pude dormir de la emoción de estar ahí, ¡por fin!

Qing
Os presento a mi pueblo, Albi
♡ 💬 ↪

Fu:
me encantaaa

Quan:
¡wooow!

Pero "la vie" no era tan "en rose" como yo pensaba, el piso era poco confortable

Digamos que era poco salubre y la confortabilidad brillaba por su ausencia

Ejército de limpieza

Curioso: los franceses tienen un "toilette", el del wc, y aparte un aseo, donde te limpias.

Qing, hay una colmena de abejorros en mi cuarto

Tanto papeleo me va a matar

Cuando te mudas a otro país lo que más cuesta es "la burocracia", no teníamos wifi ni teléfono, ni nada de nada. Teníamos que domiciliar facturas, ¡y todo iba extremadamente lento! Como nuestro piso estaba en las afueras, tenías que ir 40 minutos en bici a cualquier sitio.

Pero era asomarme por la ventana por las mañanas y se me quitaba todo lo malo

Bonjour Albi

Era tan bonito, casi esperabas ver al panadero de "La Bella y la Bestia" salir a vender su pan...

Tenía toda la comida gratis que quisiera en el comedor

¡No puede quedar nada en la bandeja!

¿Quiere probar el queso Rocamadour, mademoiselle?

Francia era el paraíso del queso, montañas de queso, bosques de queso, cascadas de queso, chaparrones de queso, ¡inundaciones de queso! ¡No daba abasto a probar tanto!

La comida en el mercado de Albi era increíble, me sorprendió mucho su cultura de comida ecológica

J'adore la nourriture Française

Croissants increíblemente tiernos

Baguettes artesanas

Crepes finas como el papel

Si pides café, siempre te lo ponen solo

Mermeladas y mieles orgánicas

MAIL

Chicas, aún no tenemos internet en casa, os escribo a escondidas en el instituto. Por aquí todo bien. :)

¡Qing!
Menos mal que escribes, llevamos semanas sin saber de ti, ojú, chiquilla, que enviar mails es gratis. ¿Cómo que no tenéis internet? Mamá está muy preocupada por ti, intenta llamarla. Te quieroooo

Quan

Qiiiiiinnng:
¿Estás sana y salva? ¿Estás bien ahí? cuéntanos qué tal todo, de verdad, que tienes que intentar llamar o algo, ¿eh? no nos puedes tener semanas así.
Love u

Fu

En el instituto, ayudaba a dar clases de español a los chavales

¿Los chinos comen perro?

Erm...

No

Vaya... Esto no cambia, sea en Francia o España

A las 19:00 cerraba todo, y Albi se encerraba en casa

Un día, paseando

¡Oh! Voy a ver qué hay en la iglesia francesa

Joie de vivre

No me gusta mucho, es demasiado tradicional el pastor

Pero por alguna razón sentía que Dios quería que me quedara allí

¡Y menos mal que lo hice! En la iglesia hice muy buenos amigos en muy poco tiempo, que me acogieron como una hija más

Hay ratatouille para comer

Como la peli

Ahora, el queso para la sobremesa

Qué rico el ratatouille, pero el queso no se puede rechazar

Mi compi turca y yo nos llevábamos muy bien, le daba igual mi religión

¿Bebes alcohol?

¡Sí!

Soy atea

¡Ooh!

El vino de aquí está más bueno que en Turquía

Pese a que yo creía que en Turquía todos eran bastante cerrados en cuanto a religión, ella me demostró tolerancia y compresión. Podíamos hablar de todo sin problemas.

Cosa que gente que era "liberal" no me demostraba en absoluto

¿Eres protestante?

¿Eso no es una secta?

¿Cómo puedes ser cristiana?

¿Es que no sabes lo que ha hecho la iglesia?

Yo nunca dije que estuviera a favor de lo que han hecho

¡¡¡AAAAHHH!!!

Cynthia y Quan vinieron a visitarme durante una semana. ¡Era maravilloso tener visita!

Yo quería enseñarles lo que me había enamorado de Francia, sus colores, sus olores, su joie de vivre

¡Selfieee!

¡Mira el chocolate!

¡Y el chutney de mango!

Mejor vamos a otra tienda

¡Sí!

Estas escandalosas... después de toquetearlo todo, no compran nada y se van...

Qué vergüencita

Hasta luego

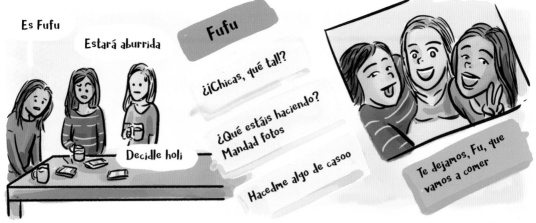

Es Fufu

Estará aburrida

Decidle holi

Fufu

¿¡Chicas, qué tal!?

¿Qué estáis haciendo? Mandad fotos

Hacedme algo de casoo

Te dejamos, Fu, que vamos a comer

Mademoiselles, la comida

Un singe

Es lo único que ha aprendido en la app de francés

¿Qué dices, loca?

Bua, qué rico el magret de pato, por favor

¿Queréis algo más? ¿Chocolate?

Esa noche cenamos en el piso

¡No! ¡No comeré en años!

Qing, ¿por qué hay 14 botellas de vino vacías en la cocina?

¿Nos quieres contar algo?

El turismo en Francia les encantó, pero la gastronomía más, como veis, se pasaron el viaje zampando.

Cyn, ¿qué es esa bolsa rosa que tienes en todas las fotos?

Tía, el queso que compré

¿Quién compra queso por la mañana? Tú

Ojú, qué peste, lo meteré en el congelador

Las llevé a visitar también el instituto donde trabajaba

Vinçen, son mis hermanas y mi amiga

Hola, mademoiselles

Bleue, salut, moulin rouge

Qing, ¡hablas muy bien francés! Hasta con la boca chica, como los franceses

¿Ah, sí? No me había dado cuenta

En ese momento me di cuenta de que me había adaptado a Albi, y que no me importaría quedarme a vivir en Francia

Todo llega a su fin. Tenía que volver a España. Recuerdo que sentí un pinchazo en el corazón al ver el que había sido mi cuarto ese maravilloso año. Repasé mentalmente lo vivido, lo aprendido, deseando no olvidarlo nunca.

Cuídate mucho por Ankara

Tú también, Qing

Buen viaje, Qing

Muchas gracias por cuidar de mí durante este año

¡Os voy a echar mucho de menos!

Dios nos volverá a unir

132

Y la verdad que no estaba
nada preocupada, porque
Dios me ha demostrado que
cumplió y que

cumplirá
mis sueños

EL VARÓN ZHOU

Historias muy masculinas

el pueblo

Idiomas hablados en este capítulo:

Español

Chino

¡Aaah! ¡Qing! ¡Encheng!

¡Aaaaaahh!

¡Por fin juntos!

Mis hermanas viven cada una en una punta del mundo, pero este verano por fin nos hemos reunido, es algo tan raro como la piedra filosofal

Mamá no para de enviar audios, que dónde estamos y cuándo llegamos

Ojú, qué pesá, dile que estamos ya de camino

¡Qué lleno está mi minicoche!

Yo he pedido a mamá marisco

¡Qué ganas tengo de comer comida china! En Miami casi no hay

Cuando se encuentran, se pasan horas y horas cotilleando. Y yo hago como que no escucho

¿Quién va a tener un hijo?

¡La prima!

Se ríen igual...

¿Te intentaron encasquetar otro novio, Qing?

Jajaja

Sí, otro más

Jajaja

Y siempre se están pegando zascas entre ellas

¡Ay, Fu! Tu acento

Ahora cantará requetón la Fu

Jajaja

¡Parad!

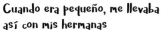

Cuando era pequeño, me llevaba así con mis hermanas

Encheng, ¡qué mono!

¡monchichi, monchichi!

¡Déjame!

Me has roto la Game Boy

¡Te mato!

¡Vamos al parque a jugar!

Sí, vamos

Y cuando crecí, casi igual...

¡Oh, Encheng!

¡Cuánto has crecido!

Crecer es lo normal, Fu

¿¡Que te han quedado 3!?

¿Cómo eres tan irresponsable?

¡Estoy en primero de ingeniería eléctrica!

Deberías estudiar más para las recuperaciones

Sí, sí...

¡Mamá, papá! ¡Hemos vuelto!

¡Mis niños!

¡Gracias a Dios!

De aquí a unos años, se ha hecho tan difícil coincidir todos. Cuando no faltaba una, faltaba la otra, o yo mismo

Traspasamos el restaurante

Hemos encontrado comprador

Bueno, es lo mejor, así os jubiláis y descansáis ya, habéis trabajado mucho

¡Con el restaurante todavía se gana!

Va a ser muy raro volver aquí y que no haya restaurante. Hasta le tengo cariño

Ya ves, toa la vida aquí

¿Y qué vais a hacer?

¿Os volvéis a China? ¿u os quedáis?

Bueno... entre China y España

Agradecimientos

Era octubre de 2013 cuando se publicó la primera viñeta de *Gazpacho agridulce*. Tenía 24 años. Y aquí estoy hoy, escribiendo los agradecimientos de la segunda novela gráfica. Tengo hasta cosquillitas en el estómago. No te miento si te digo que jamás de los jamases, ni siquiera en mis mejores sueños, pensé que llegaría este momento (ni el de hacer libros, y madre mía, una vez empezado a esbozarlo, el terminarlo). Ni que de unas pequeñas viñetas contando malamente chistes de cosas que sucedían en la no-tan-intimidad de mi familia, daría para dos libros. Y muchísimo menos que interesara a nadie.

En este camino han pasado muchísimas cosas, el primer mail de felicitaciones, las primeras críticas, los trolls (gente que me ha llamado autorracista, curiosamente, españoles). Y también los primeros mensajes de adolescentes de segunda generación, que, en este momento, se sienten igual de perdidos que yo hace 10 años. Contándome que por primera vez se sentían identificados, contándome sus problemas, confiando en mí. También mensajes de los que tienen mi edad y que sienten el cómic como su propia vida. ¡Incluso una profesora me dijo que me tomaría como referente para sus alumnos chinos! ¡Referente yo! Que no soy referente ni para mí misma (por si no te has dado cuenta, soy un poco-mucho liante).

Así que no me queda más que daros las gracias, a mi familia, especialmente a mis hermanas, Qing y Fu, por haber tenido tanta paciencia y no haberse quejado, por leer (y a veces contestar) todos los wasaps donde les pedía cosas de guion, a Astiberri por creer en mí, y hacer de este cuento-chino mis dos primeras novelas gráficas, a Anna, que siempre será mi familia dondequiera que esté, a Río Bueno, por absolutamente todo, a Gato Pobre, por aguantar casi siempre mi mal humor…

Y sobre todo a ti, que ahora me estás leyendo y has hecho esto posible. Que por alguna razón te interesaste por esta cotidiana historia de chinos (porque aquí nadie salva el mundo, ni nadie cura cáncer de ningún tipo). Muchísimas gracias.

Soy de las que piensan que los seres humanos no somos tan diferentes, si rascas un poco, verás que mi madre china es tu madre manchega, asturiana o gallega. Que nos preocupamos de las mismas cosas, que sufrimos y nos alegramos por lo mismo. Así que solo espero que te haya gustado que nos hayamos despellejado enteras y hayas disfrutado con nuestro costumbrismo... no tan chino.

Ay, se me ha escapado la lagrimilla y todo.

Quan,
junio 2017

Otras obras de Quan Zhou Wu en Astiberri

Gazpacho agridulce
Una autobiografía chino-andaluza
3.ª edición
136 páginas. 14 euros
ISBN: 978-84-16251-01-8

Gente de aquí, gente de allí
2.ª edición
208 páginas. 20 euros
ISBN: 978-84-18215-13-1

Andaluchinas por el mundo
Gazpacho agridulce 2

© 2017 Quan Zhou Wu
© 2021 Astiberri Ediciones por la presente edición
Colección Sillón Orejero

Diseño: Quan Zhou Wu
Maquetación: Manuel Bartual

ISBN: 978-84-16880-28-7
Depósito legal: BI-1564-21
Impresión: Edelvives
1.ª edición: septiembre 2017
2.ª edición: diciembre 2021

Astiberri Ediciones
Apdo. 485
48080 Bilbao
info@astiberri.com
astiberri.com

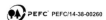
PEFC PEFC/14-38-00260